글·그림 홍끼

4

CONTENTS

목차

36화	길가메시와 후와와 V	………	5
37화	길가메시와 구갈안나 I	………	23
38화	길가메시와 구갈안나 II	………	43
39화	인안나의 명계하강 I	………	61
40화	인안나의 명계하강 II	………	81
41화	인안나의 명계하강 III	………	97
42화	인안나의 명계하강 IV	………	113
43화	네르갈과 에레쉬키갈	………	129
44화	영생을 찾는 모험 I	………	147
45화	영생을 찾는 모험 II	………	167
46화	영생을 찾는 모험 III	………	183
47화	영생을 찾는 모험 IV	………	197
48화	에누마 엘리시	………	215

일러두기

본 만화는 메소포타미아 신화를 바탕으로 각색·재구성한 것으로, 실제 신화 기록과 다른 점이 있습니다.

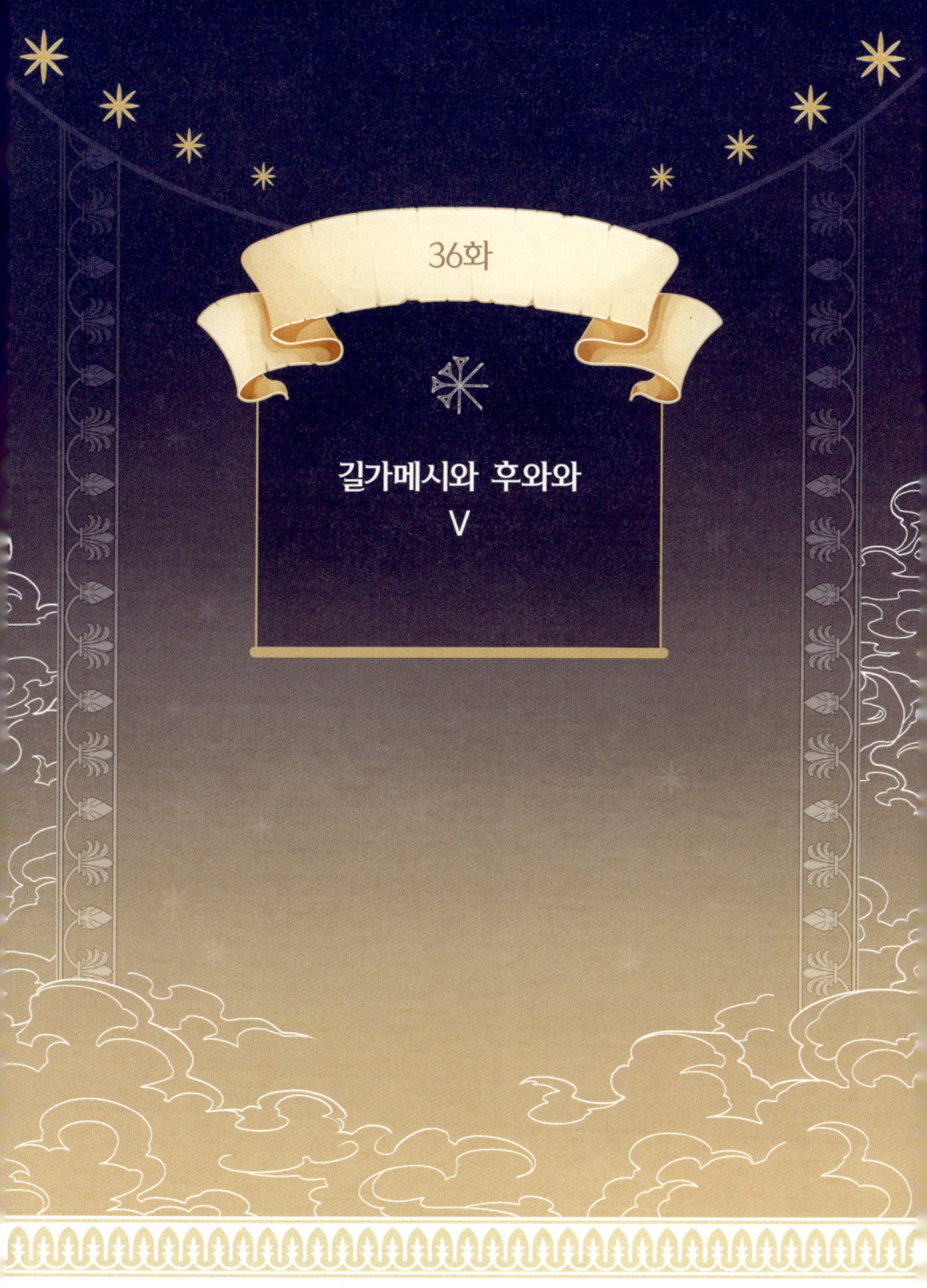

후와와의 머리가 땅에 떨어졌어.

이를 느낀 엔릴이 땅으로 내려와 길가메시와 엔키두 앞에 나타났지.

도대체 왜 그런 짓을 했느냐!

후와와 또한 너희들처럼 배를 채우고 목마름을 축이며 내일을 살아갈 터였다!

강과
갈대에게

마지막 광채를
심판과 처벌의 여신인
눈갈에게 줬어.

사자에게

궁궐에게

기쁘게
사용하겠습니다.

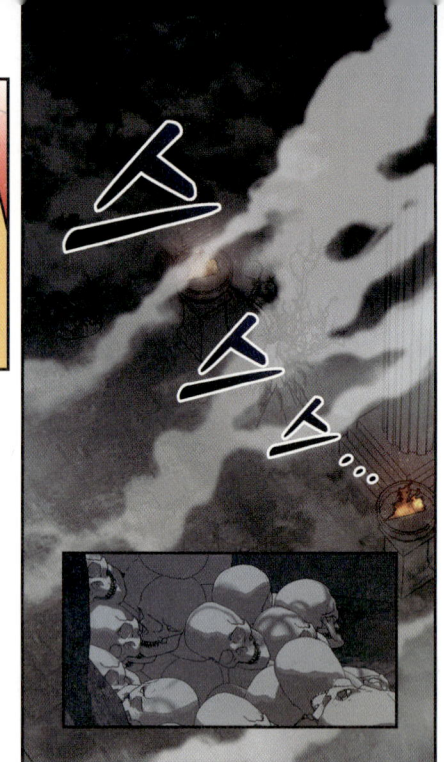

하늘의 황소 구갈안나를 내어주세요.

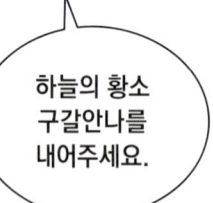

안께서 나를 땅 위로 불러내는 것에 동의하셨다고 하오.

다녀오겠소.

조심히 다녀와요, 여보.

…부디 아무 일 없도록.

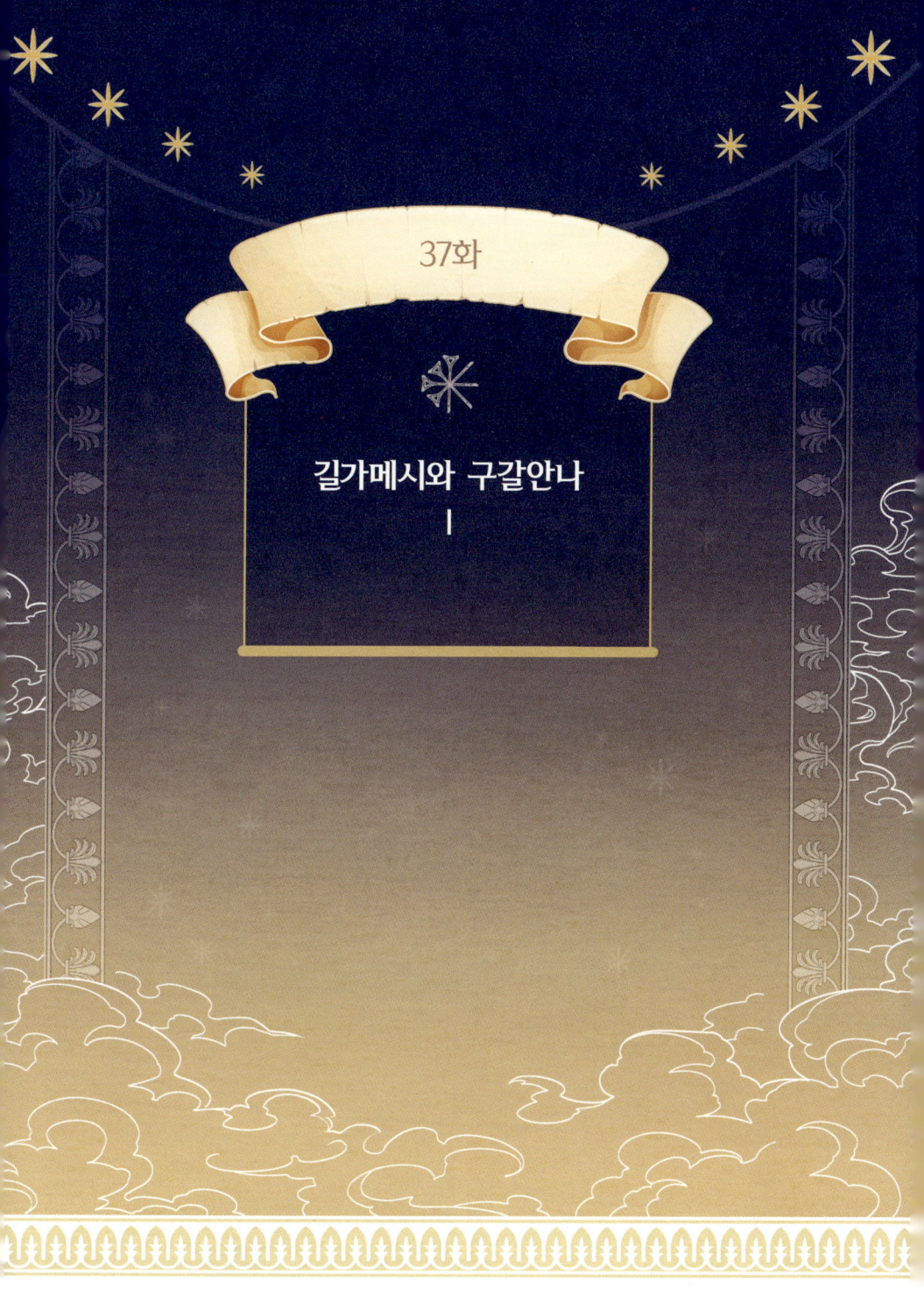

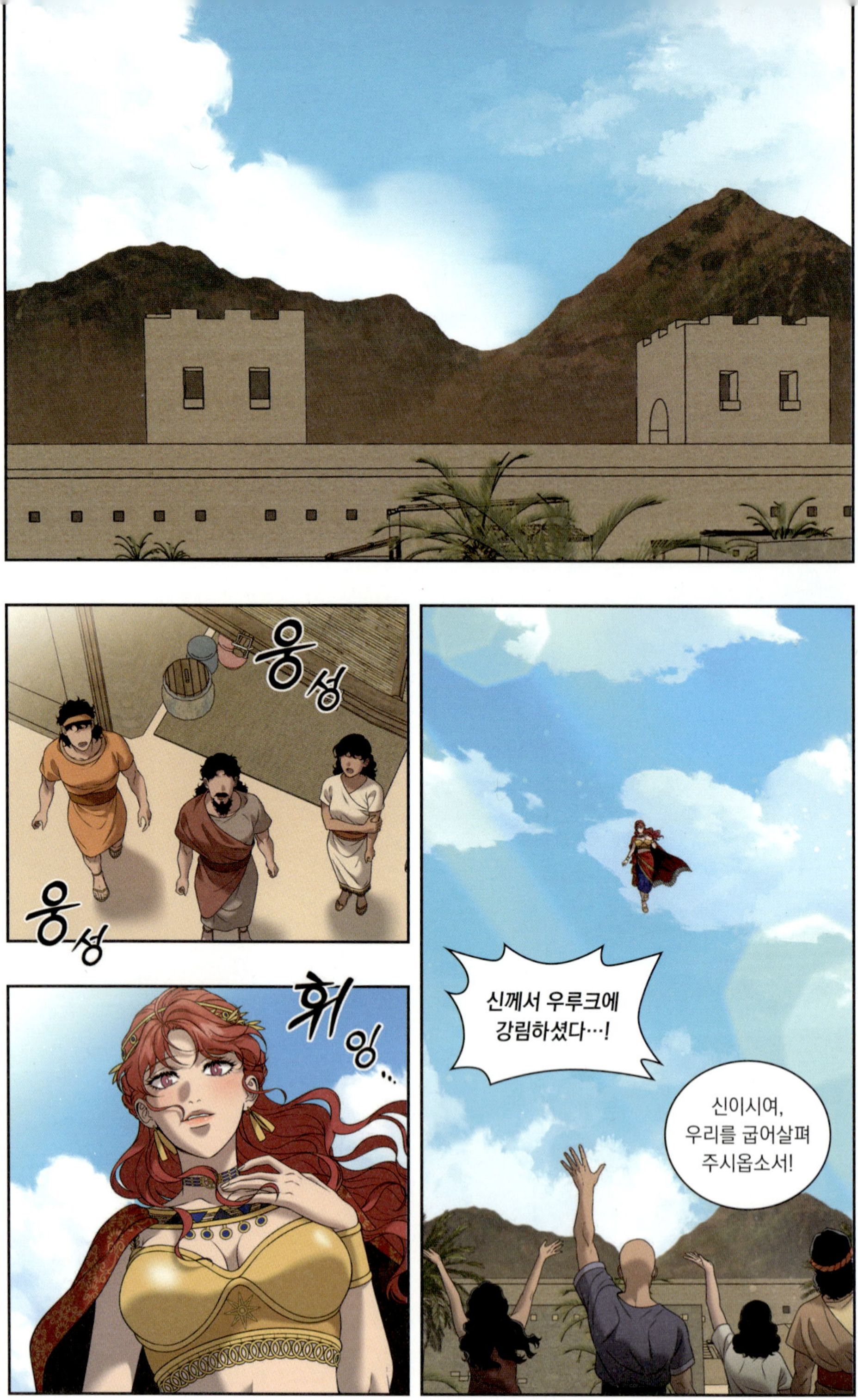
웅성
웅성
휘잉…
신께서 우루크에 강림하셨다…!
신이시여, 우리를 굽어살펴 주시옵소서!

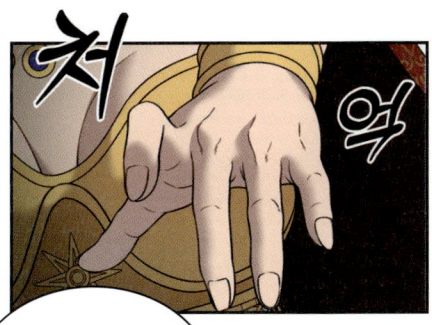

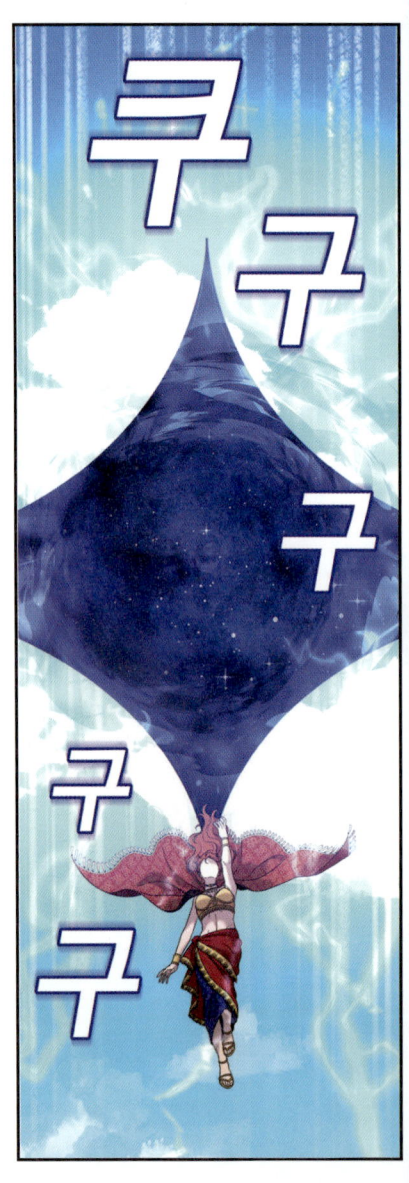

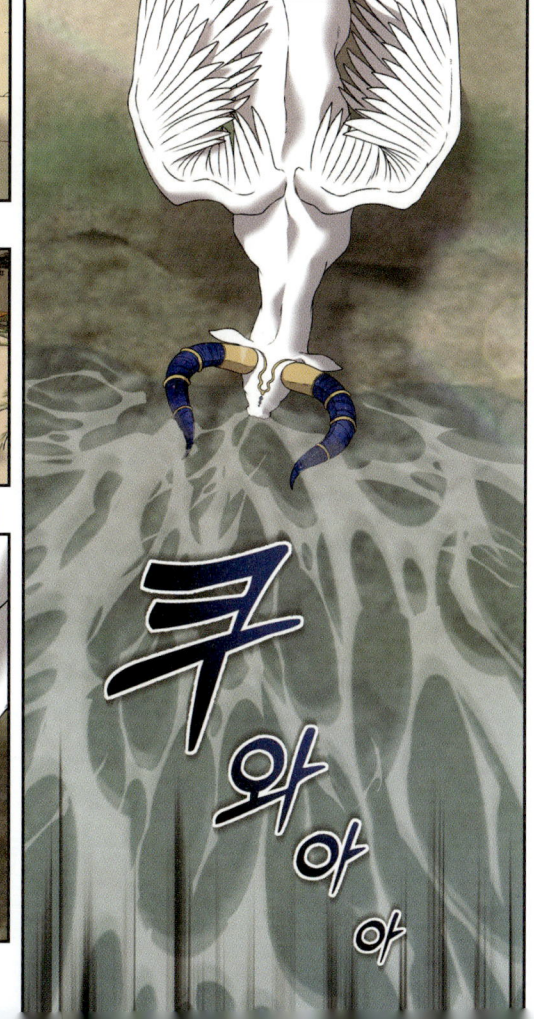

우루크의 생명력을 뱉어내거라.

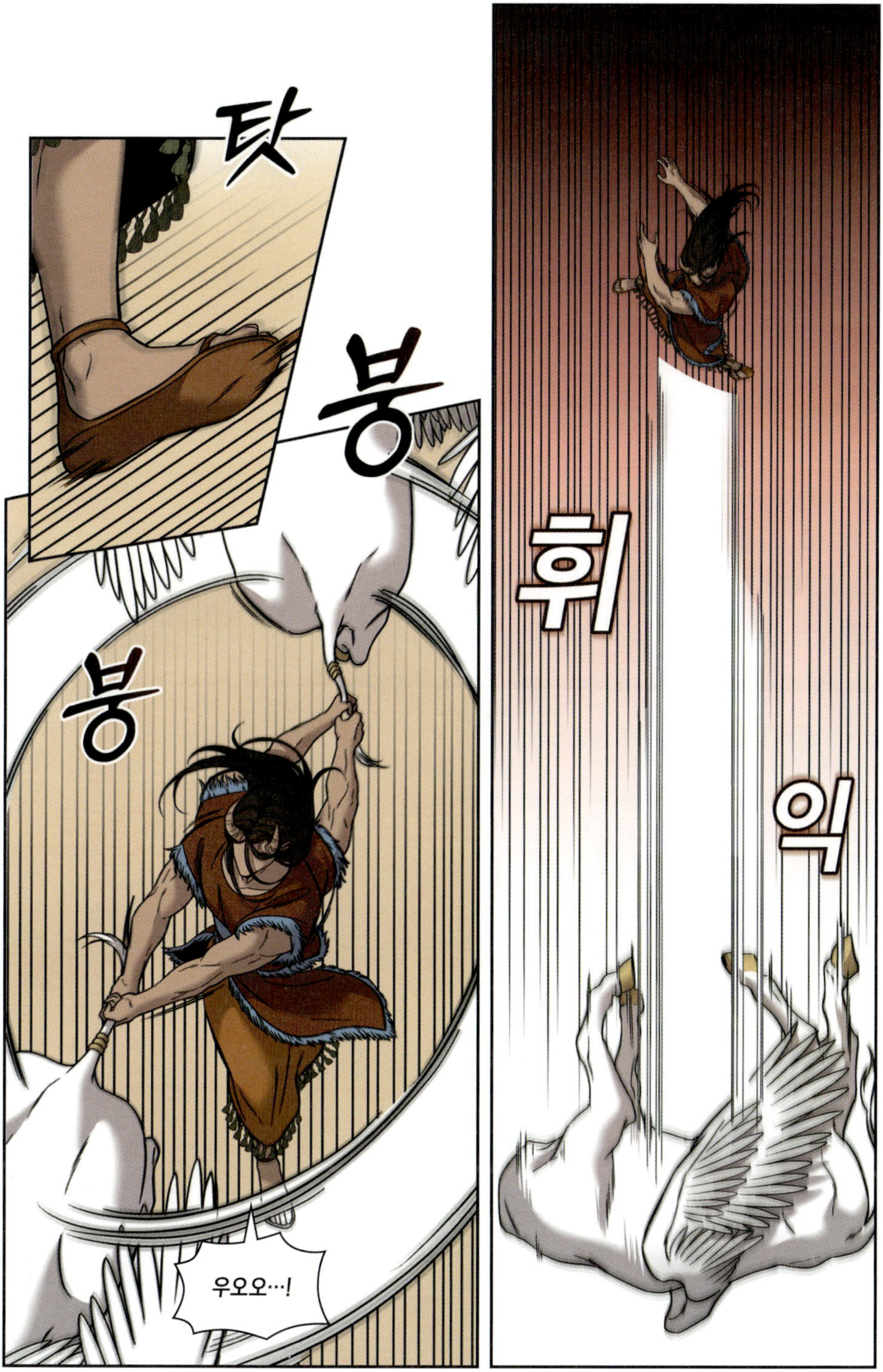

탓

붕

휘

붕

익

우오오…!

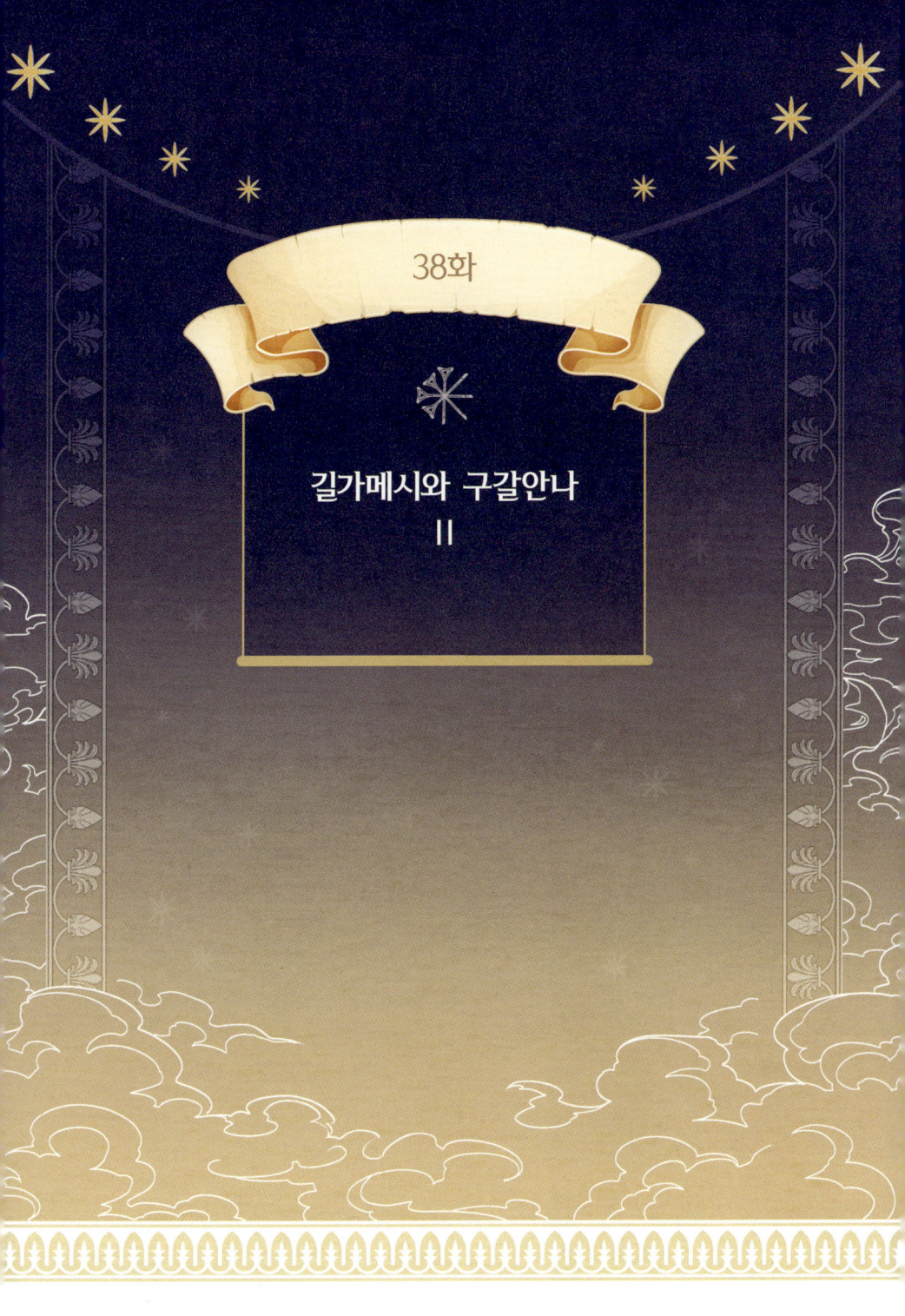

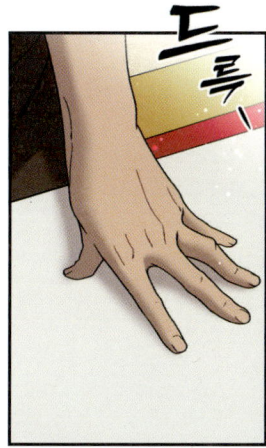

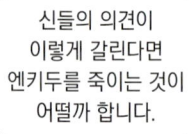

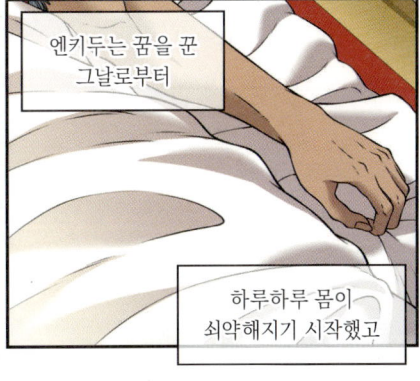

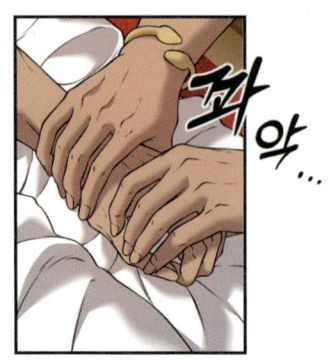

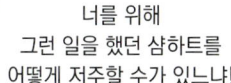

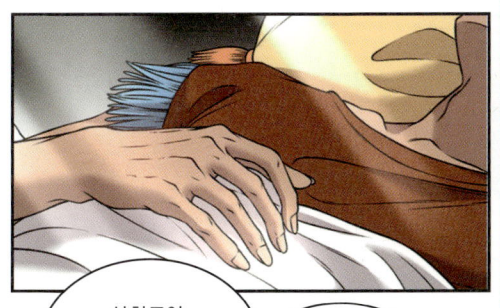

엔키두는
숨을 거뒀어.

홍끼의 Hongkki's Mesopotamian Mythology
메소포타미아 신화

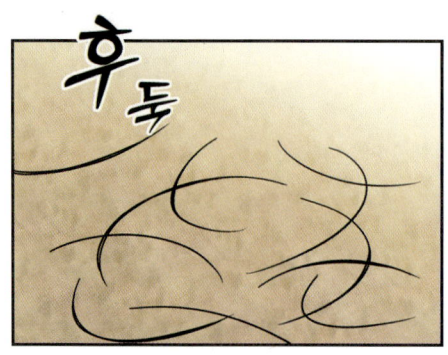

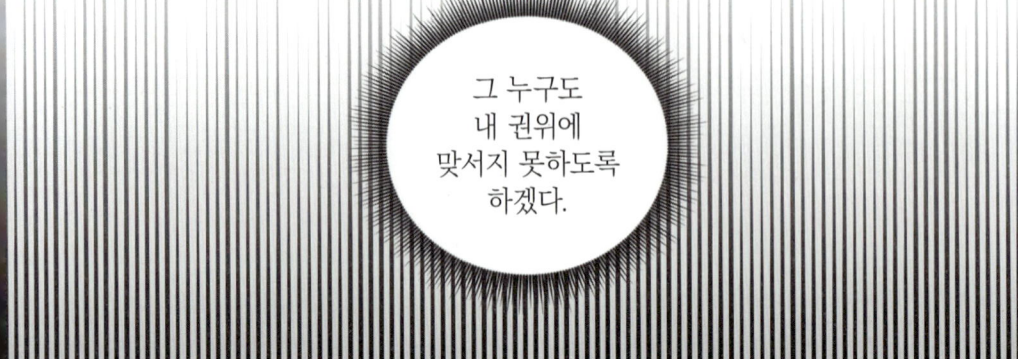

…!

만일 내가 사흘 안에 돌아오지 않거든…

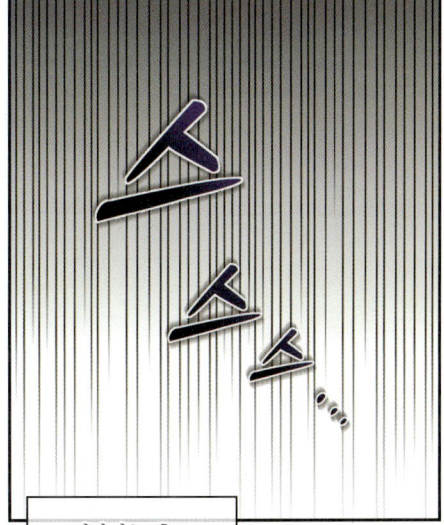

인안나는 홀로 저승으로 향했어.

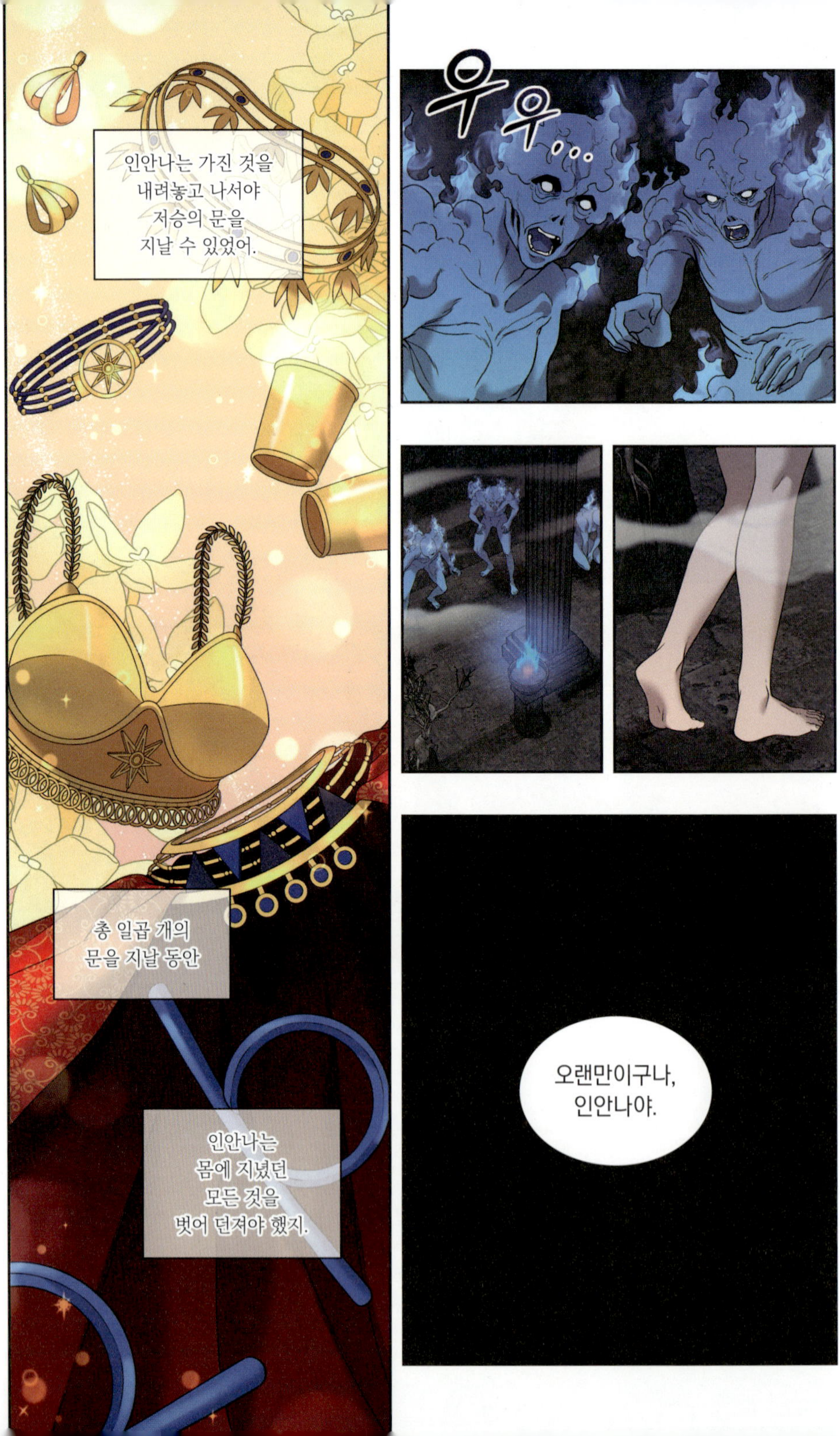

인안나는 가진 것을
내려놓고 나서야
저승의 문을
지날 수 있었어.

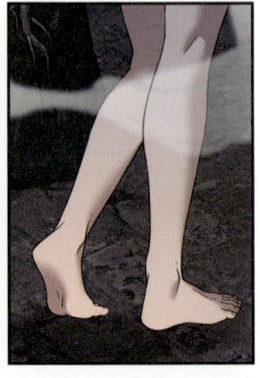

총 일곱 개의
문을 지날 동안

인안나는
몸에 지녔던
모든 것을
벗어 던져야 했지.

오랜만이구나,
인안나야.

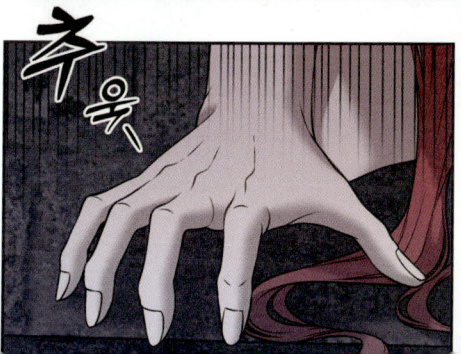

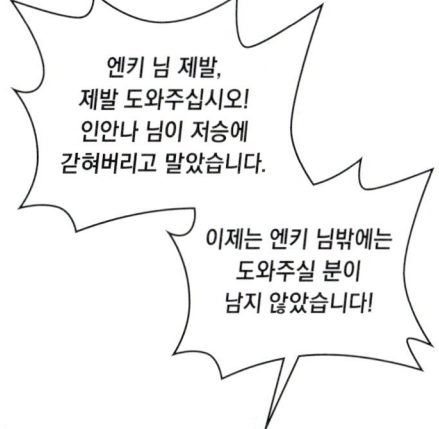

문지기에게
들키지 않고
저승 궁전의 안까지
도착했어.

정령들은 궁전이
떠나가도록
울어대기 시작했지.

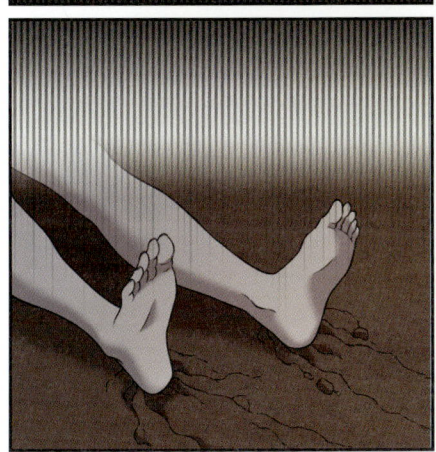

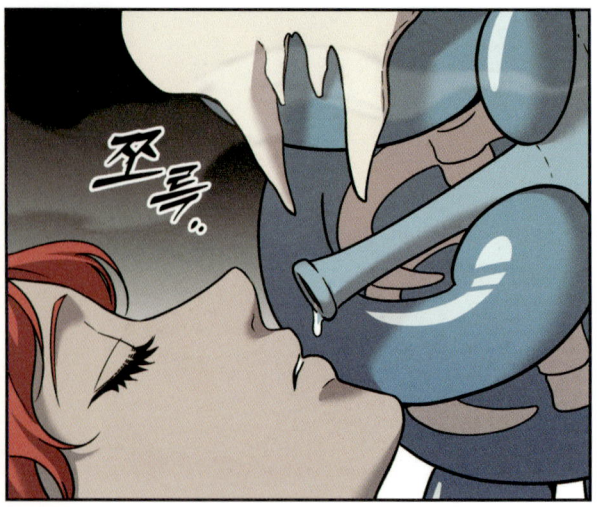

인안나의 피부색이
발갛게 물들고

뺨과 입술에
생기가 감돌았어.

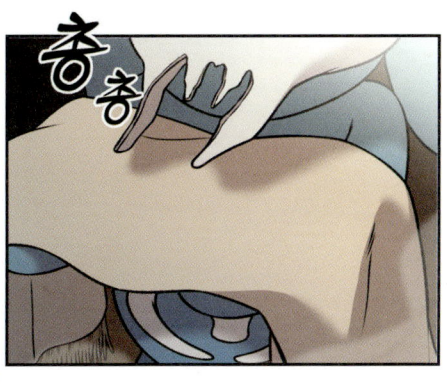

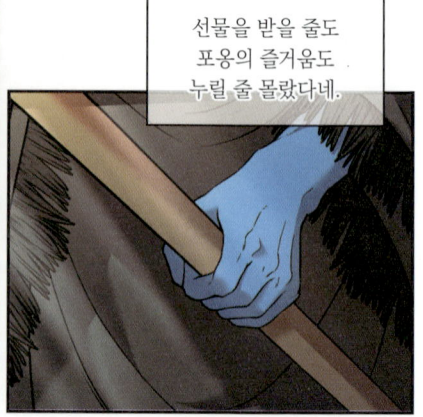

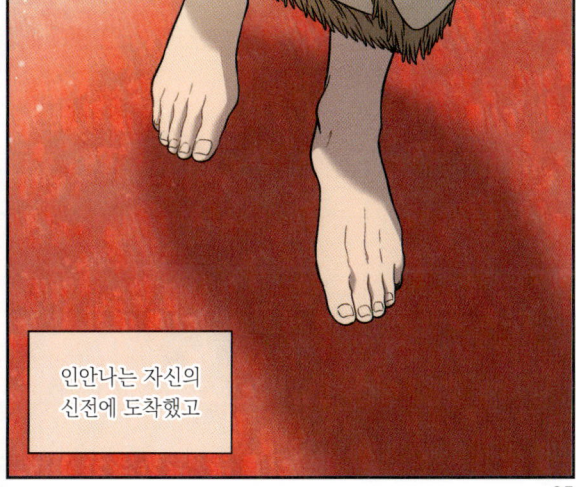

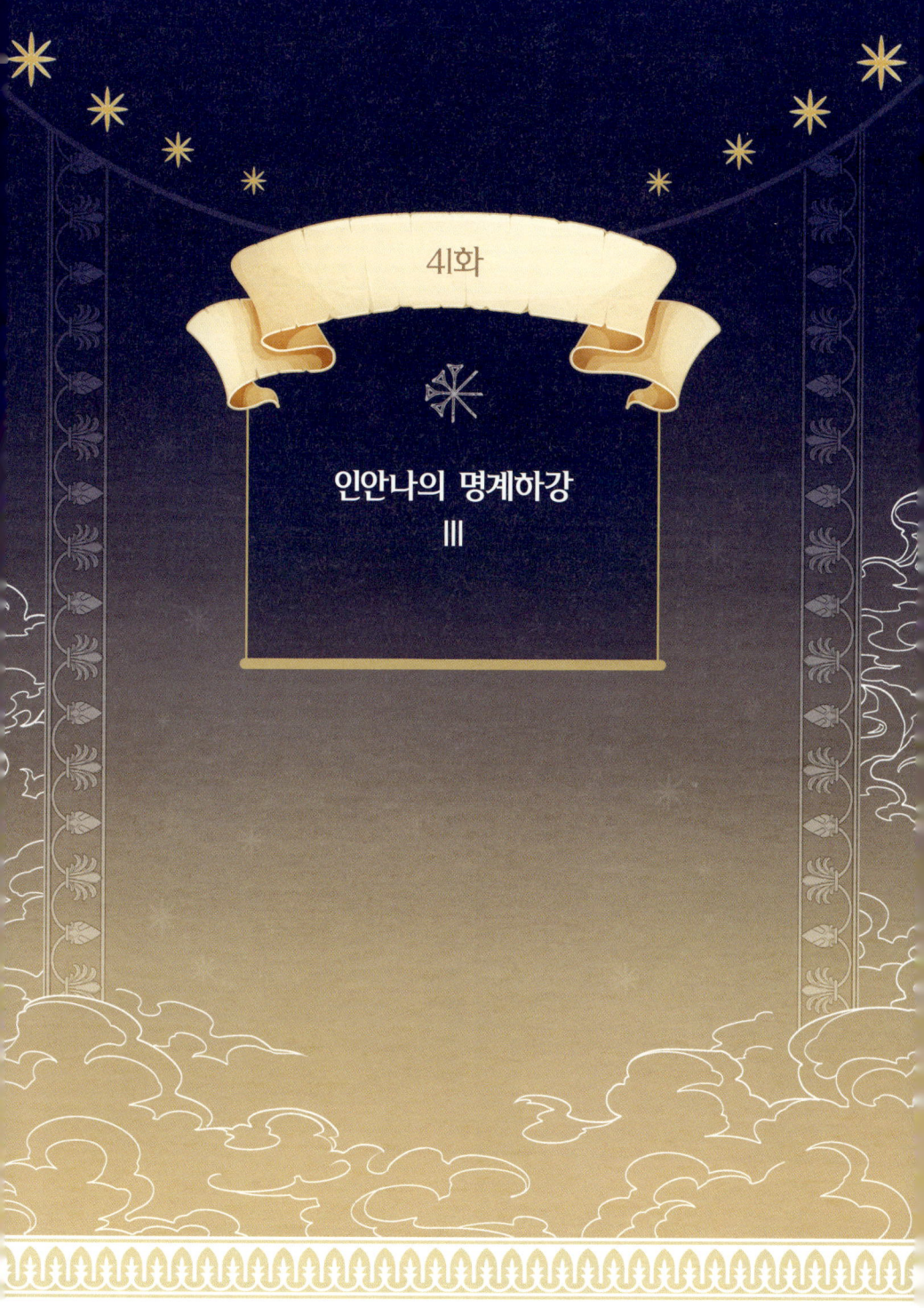

작은 도마뱀은 잽싼 발걸음으로

죽음들로부터 벗어났어.

고민 끝에 두무지를 도마뱀으로 바꿔버렸지.

나에게서 도망이라도 쳐보겠다는 것이냐….

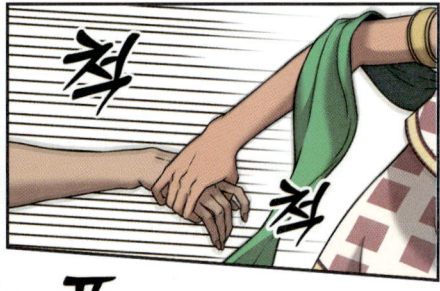

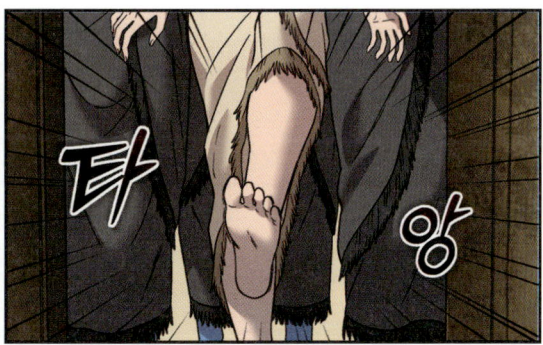

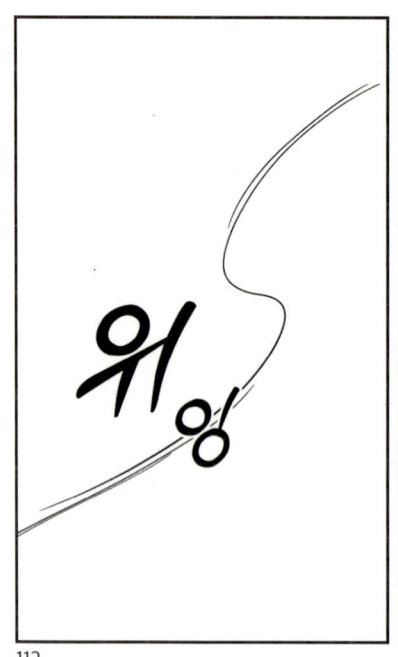

우투는 두무지를 빠른 다리를 가진 가젤로 변신시켜줬지만

끝내 죽음들에게 붙잡히고 말았지.

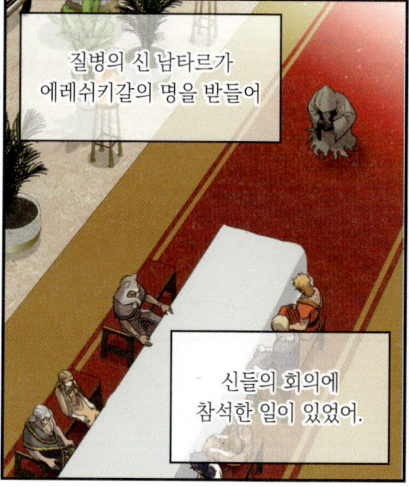

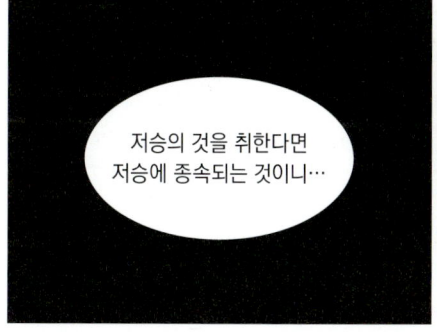

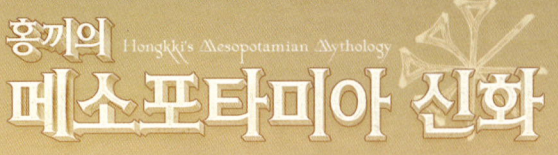

네르갈은
남타르와 함께

저승의 강을 지나
저승 궁전에 도달했어.

지나가십시오.

두려워…

어서 오세요, 나에게 무례를 범한 자여.

네르갈은 평소와 같은 이승 생활을 이어갔지.

죽이고

죽이고

또 죽였어.

…나는 죽음을 소망하는 것이었나?

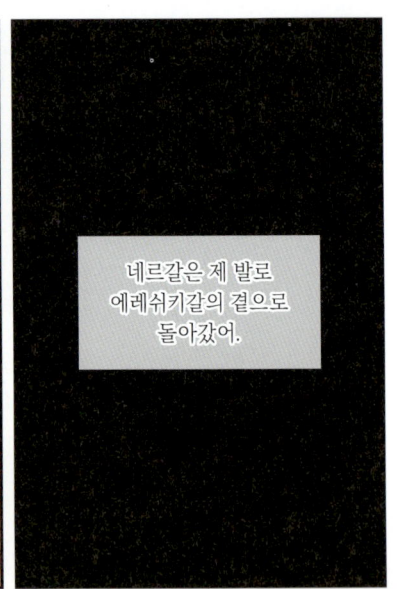

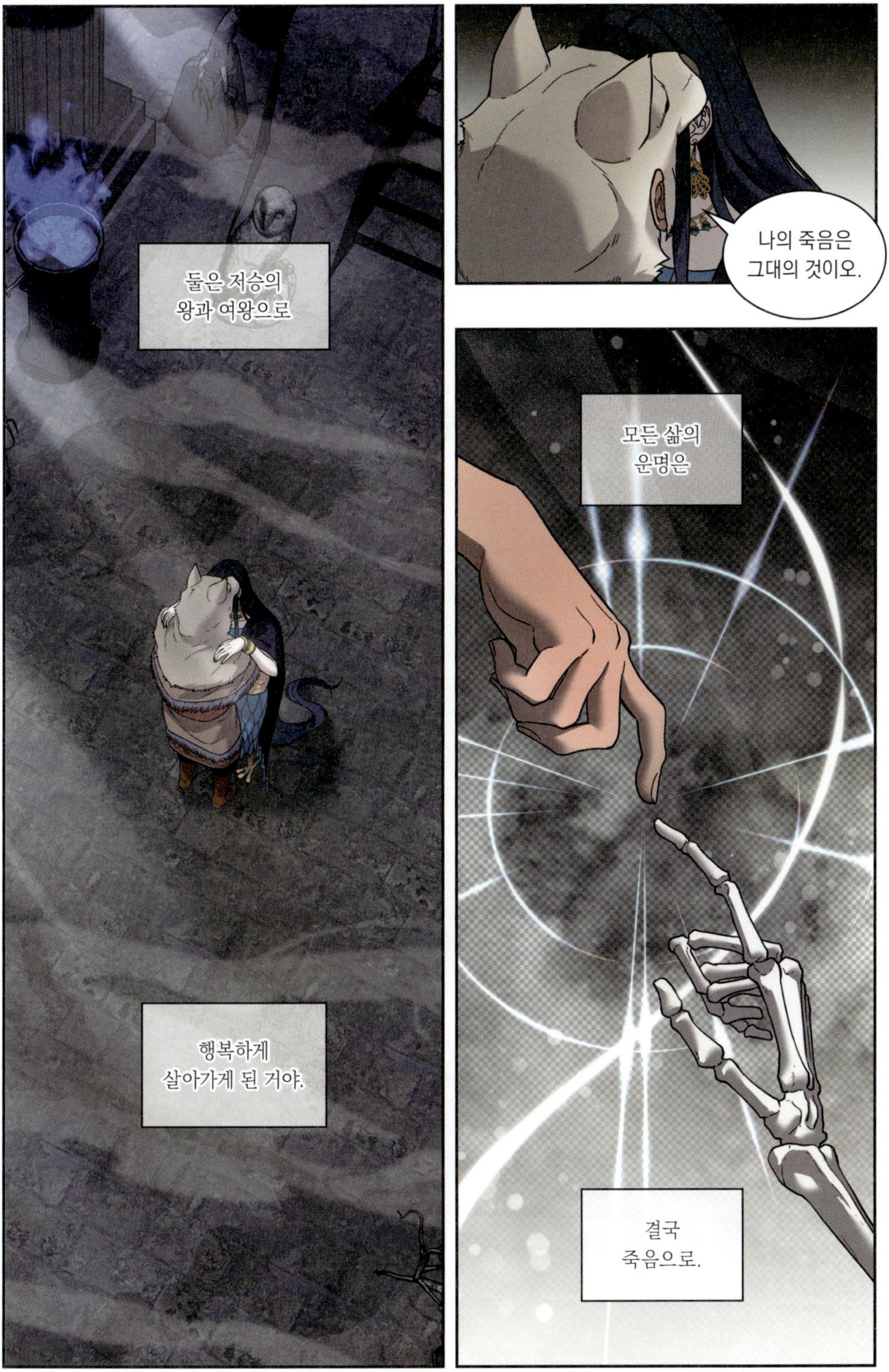

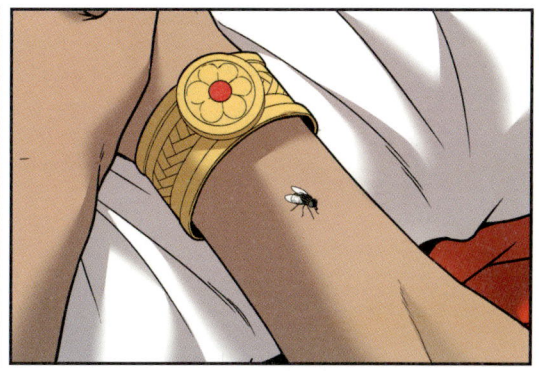

그렇게 시간이 얼마나 흘렀을까…

길가메시의 얼굴에서 왕의 위엄이 사라져갈 때쯤

눈앞에 태양이 뜨고 지는 산의 입구가 보였어.

신께서 당신을
지켜주시기를!

아무것도 보이지 않는
칠흑 같은 길은
두려움과 공포를
상기시켜줬어.

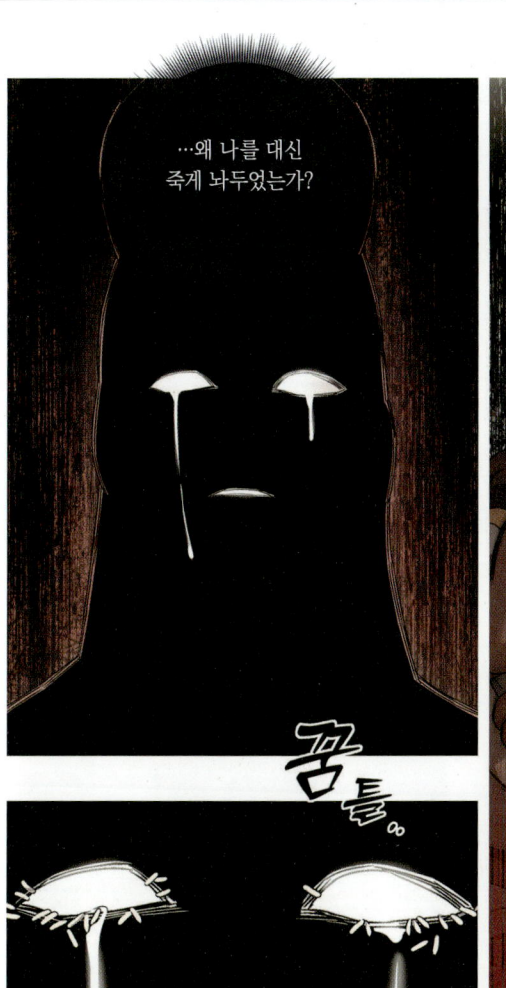

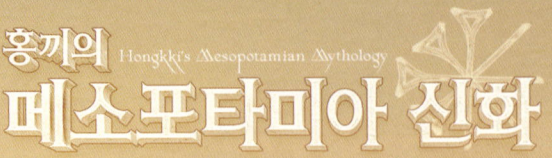

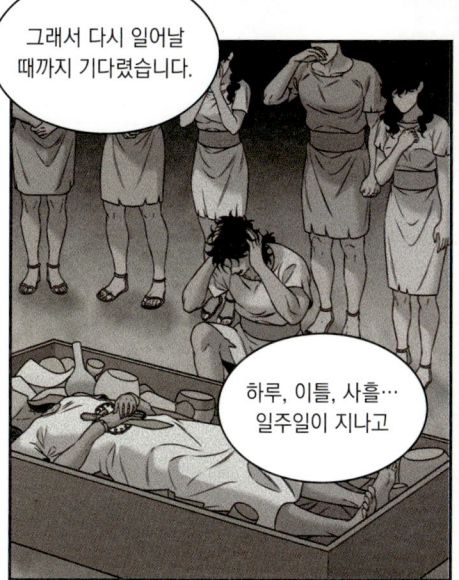

맙소사…!
이, 이게
무슨 짓이오!

신비로운 돌 없이
어찌 죽음의 바다를
건너란 말이오!

저 앞은
죽음의 바다요.
장대를 준비하시오!

…제가 뭘 하면 되겠습니까?

우트나피쉬팀은 길가메시를 나무 아래 자리 잡게 했어.

이곳에서 당신은 앉아서 잠을 참아낼 거요.

고작 그 정도로 신들이 제게 관심을 가질 수 있단 말입니까?

우트나피쉬팀은
하루가 흐를 때마다

길가메시의 곁에
갓 구운 빵을 놔뒀지.

그렇게 7일째가 되자

두 번째 날에 놔둔 빵은
마른 장작 같았으며

첫째 날 놔둔 빵은
돌처럼 딱딱해졌고

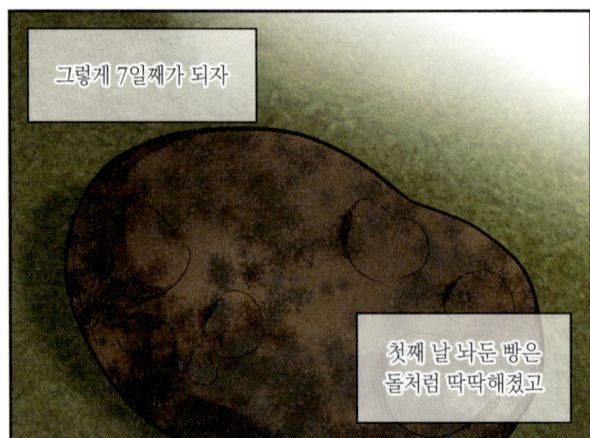 

세 번째 날에 놔둔 빵은 곰팡이로 덮여 축축했고

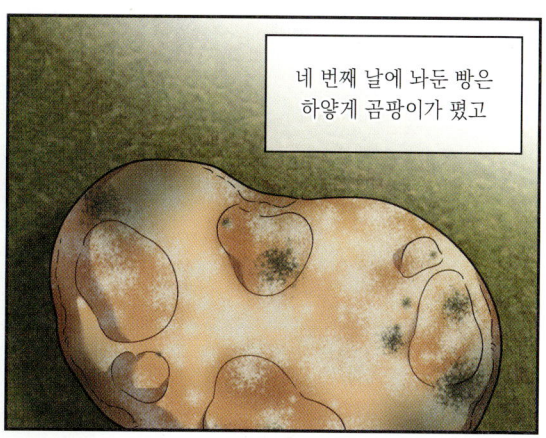

네 번째 날에 놔둔 빵은 하얗게 곰팡이가 폈고

다섯 번째 날에 놔둔 빵은 납색의 곰팡이가 폈으며

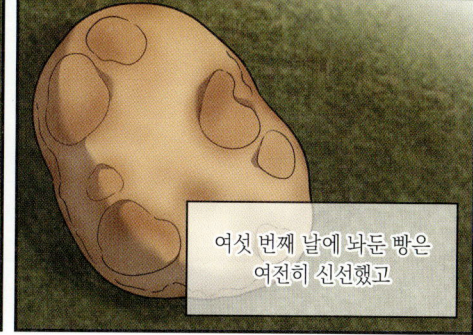

여섯 번째 날에 놔둔 빵은 여전히 신선했고

일곱 번째 날에 가져온 빵은 갓 구워 따끈했어.

하하,
얼른 우루크에 도착해
노인들에게 이 풀을 먼저
선보여야겠구나!

이 험한 길도
돌아가는 발걸음이
이리도 가볍다니!

귀환하는 영웅의 모습이
이리 더러워서야 되겠는가.

길가메시는
잠시 강가에서
목욕을 하기로 했지.

길가메시는 기나긴 모험을 통해서야

현재의 소중함을 깨닫게 됐어.

내 기나긴 여행으로 깨달은 것을 기록해야겠다.

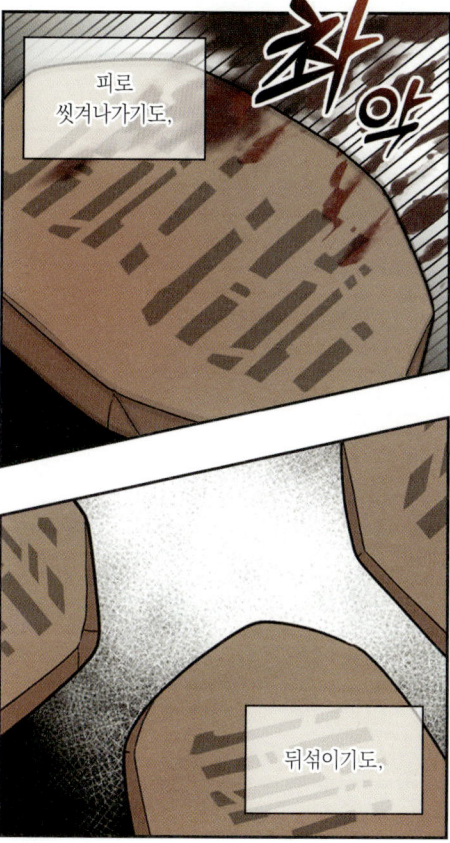

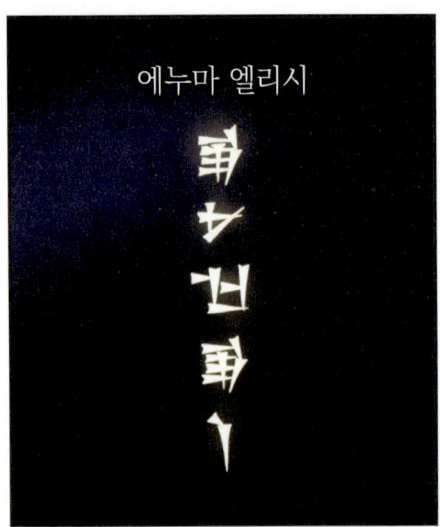

에누마 엘리시

신들의 아버지 압수와
신들의 어머니 티아마트는

담수와 바닷물을
한데 섞고 있었어.

그때 저
높은 곳에서—

하늘이 하늘이라
불리지 않았고

땅이 땅이라
불리지 않았을 때.

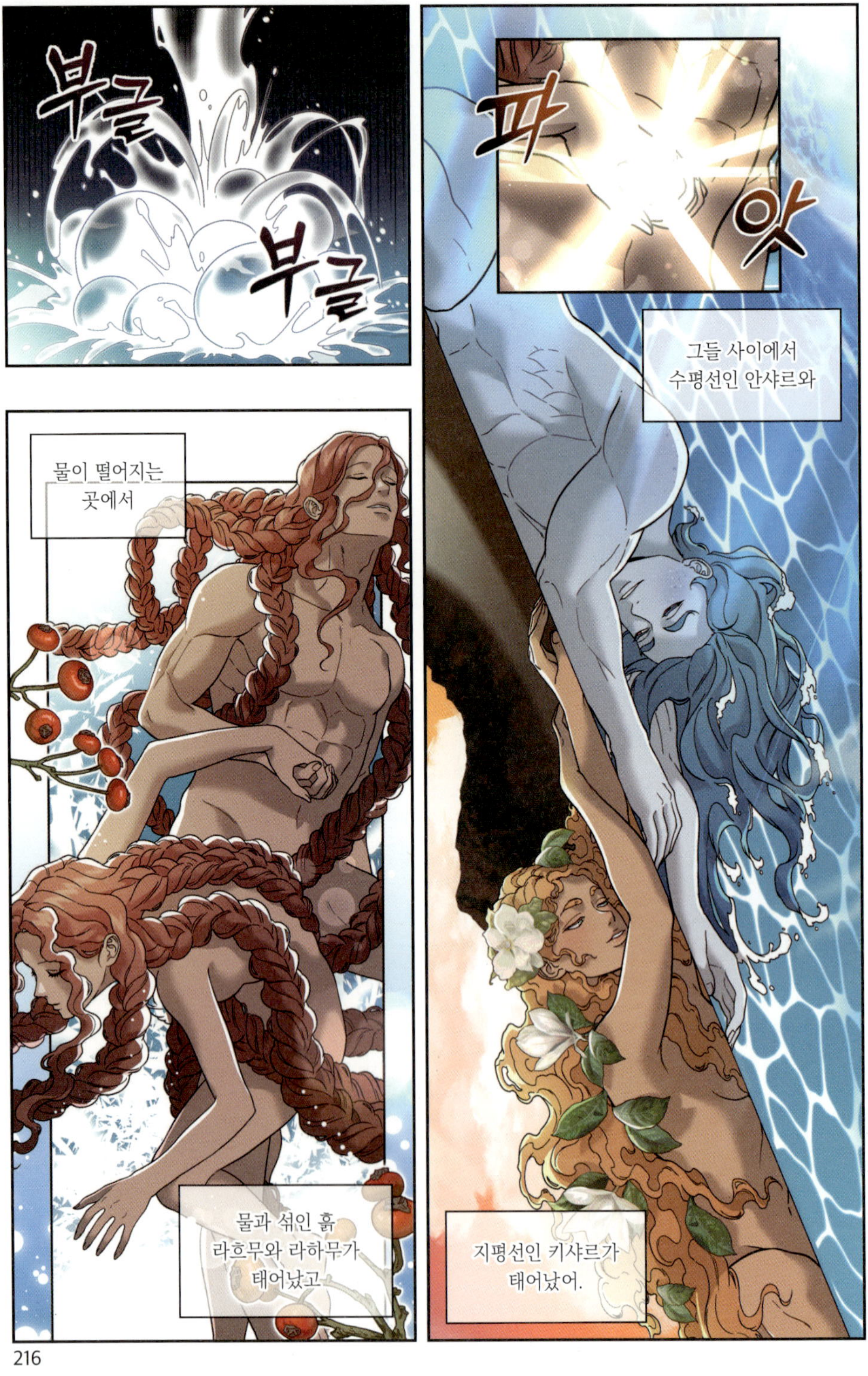

뒤이어 지평선과
수평선 사이를 비집고

아무가
태어났지.

신들은 계속해서 태어나
혼돈 속 세상은 시끄러워졌어.

웅성..

웅성..

그들이 내는 소음에
지친 압수는
티아마트를 찾아갔지.

에아는 압수가 방심한 틈을 타 그에게 접근했고

주문을 외워 압수를 고요한 잠에 빠뜨렸어.

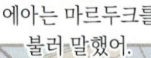

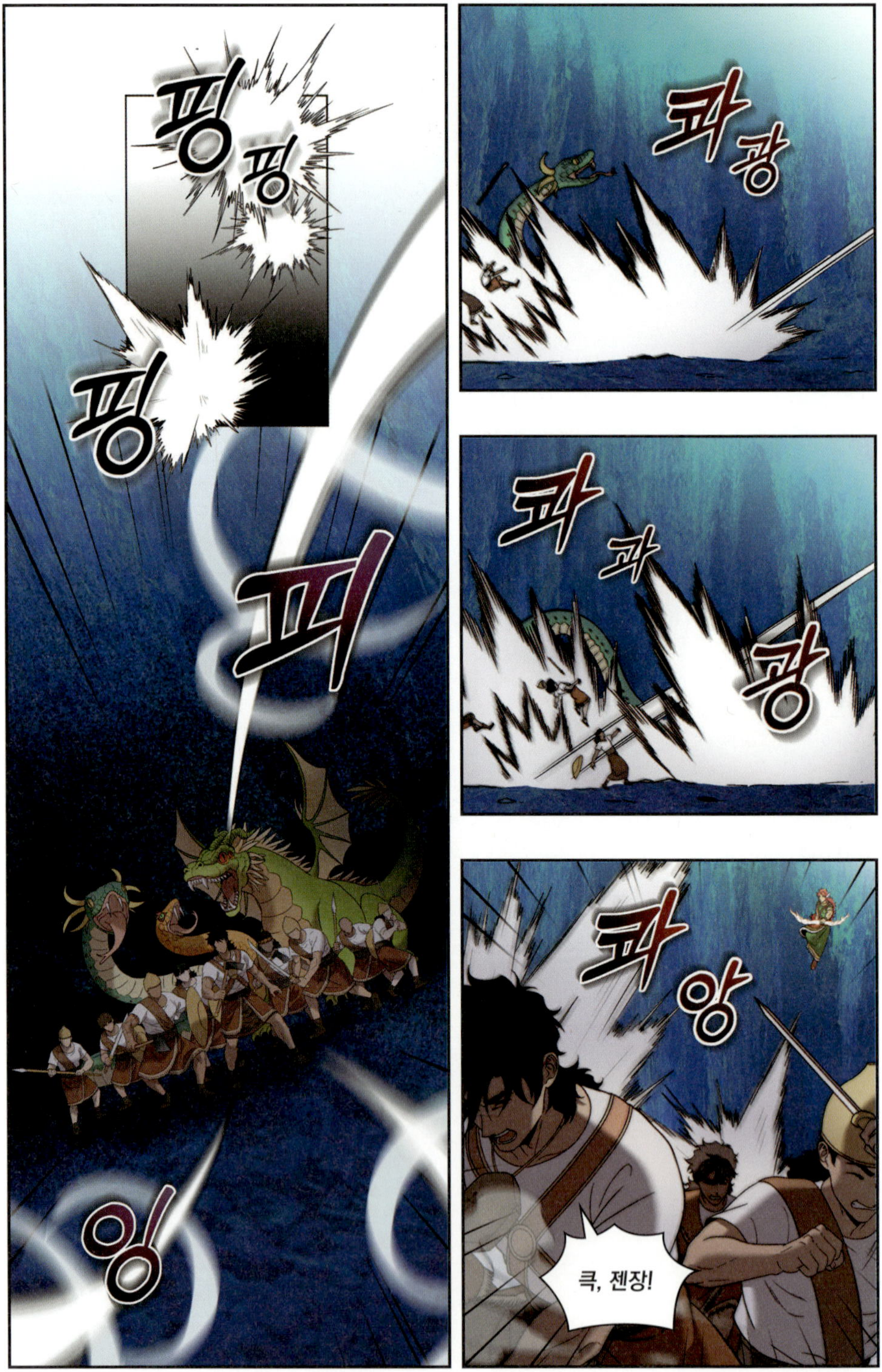

거대한 폭풍이 몰아쳤지.

모두 날아오는 바람을 조심해!

칼날이 되돌아온다!

모두 위험하니 물러나거라! 내가 나서겠다!

으윽…!

티아마트 님!!

티아마트는 온몸으로 폭풍을 막아섰고

쿠오오

마르두크는 그 모든 바람을 티아마트의 입안으로 쏟아부었어.

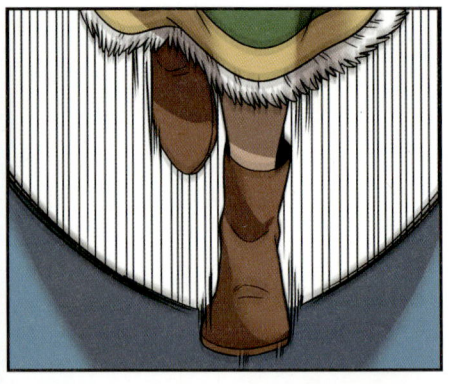

티아마트는 죽었고
반란군의 수장 킨구는
마르두크에게
잡히고 말았지.

거대한 폭풍은
티아마트의
몸속에서 부딪쳐
그대로 폭발하고
말았어.

마르두크는 티아마트의 유해를 나누어 세상을 다시 창조해냈어.

에누마 엘리시: 후대에 새로 쓰인 창세 신화

4권 214~237쪽의 '에누마 엘리시'는 메소포타미아 문명을 이루는 여러 줄기 중 하나인 바빌로니아의 창세 신화로, 시대의 변천에 따른 창세 신화의 변화를 보여주고자 마지막 화로 구성했음을 알려드립니다.

참고 문헌

단행본

김산해, 『최초의 신화 길가메쉬 서사시』, 휴머니스트, 2020.
김산해, 『최초의 역사 수메르』, 휴머니스트, 2021.
김산해, 『최초의 여신 인안나』, 휴머니스트, 2022.
김석희, 『초창기 문명의 서사시』, 이레, 2008.
김현선 외 6인, 『중동신화여행』, 도서출판 아시아, 2018.
배철현, 『신들이 꽃피운 최초의 문명』, 웅진씽크빅, 2010.
배철현, 『신화 밖 신화여행, 메소포타미아』, 웅진씽크빅, 2010.
앤드류 조지, 공경희 옮김, 『길가메시 서사시』, 현대지성, 2021.
제임스 B. 프리처드, 주원근 외 5인 옮김, 『고대 근동 문학 선집』, 기독교문서선교회(CLC), 2016.
필립 스틸, 조윤정 옮김, 『메소포타미아』, 웅진씽크빅, 2013.
Rivkah Harris, 『Gender and Aging in Mesopotamia』, University of Oklahoma Press, 2000.

사이트

『The Electronic Text Corpus of Sumerian Literature』, https://etcsl.orinst.ox.ac.uk/
『The electronic Babylonian Library』, https://www.ebl.lmu.de/
『Academy for ancient texts』, https://www.ancienttexts.org/
『World History Encyclopedia』, https://www.worldhistory.org/
『Sumerian Shakespeare』, https://sumerianshakespeare.com/2701.html

홍끼의 메소포타미아 신화 4

초판 1쇄 인쇄 2025년 7월 25일
초판 1쇄 발행 2025년 8월 11일

지은이 홍끼
펴낸이 김선식

부사장 김은영
콘텐츠사업본부장 김길한
제품개발 정예현, 설민기 **마케팅** 김다운
IP제품팀 윤세미, 김다운, 설민기, 신효정, 정예현, 정지혜
콘텐트리1팀 이석원, 이다영, 손규성, 손준연, 신현정, 최은석, 현승원
콘텐트리2팀 명소혁, 이광연, 이성호, 이제령
편집관리팀 조세현, 김호주, 백설희
저작권팀 성민경, 윤제희, 이슬
재무관리팀 하미선, 김재경, 김주영, 오지수, 이슬기, 임혜정 **제작관리팀** 이소현, 김소영, 김진경, 이지우, 황인우
인사총무팀 강미숙, 김혜진, 이정환, 황종원 **물류관리팀** 김형기, 김선민, 김선진, 박재연, 양문현, 이민운, 이주희, 주정훈, 채원석
외부스태프 하나(본문조판)

펴낸곳 다산북스 **출판등록** 2005년 12월 23일 제313-2005-00277호
주소 경기도 파주시 회동길 490
전화 02-702-1724 **팩스** 02-703-2219 **이메일** dasanbooks@dasanbooks.com
홈페이지 www.dasan.group **블로그** blog.naver.com/dasan_books
종이 신승INC **출력·인쇄** 북토리 **제본** 대원바인더리 **코팅·후가공** 제이오엘앤피

ISBN 979-11-306-6536-8(04810)
ISBN 979-11-306-6532-0(SET)

● 책값은 뒤표지에 있습니다.
● 파본은 구입하신 서점에서 교환해드립니다.
● 이 책의 저작권법에 의하여 보호를 받는 저작물이므로 무단 전재와 복제를 금합니다.

> 다산북스(DASANBOOKS)는 책에 관한 독자 여러분의 아이디어와 원고를 기쁜 마음으로 기다리고 있습니다.
> 출간을 원하는 분은 다산북스 홈페이지 '원고 투고' 항목에 출간 기획서와 원고 샘플 등을 보내주세요.
> 머뭇거리지 말고 문을 두드리세요.